大切なあなたノート

for you

|

この本を
手にとってくださった方へ

人は人のことを案外よく知らないものです。

自分のことすらよくわからないのだから、

他人のことがわからないのは当たり前ですが、

時に知ったつもりになってしまうと、

間違いやトラブルを招くことがあります。

一緒に過ごした時間が長くて、よく知っているつもりでも、

意外な盲点があるかもしれません。

このノートが、自分を知り、相手を知り、

お互いをより大切に想い合ったり、

話したことのないことを話すきっかけに

なってくれれば、こんなに嬉しいことはありません。

HOW TO

基本的な使い方

大切な人と一緒に使う場合

インタビュアーになったつもりで、
相手への「取材ノート」として使ってみてください。
「あなたのことをよく知りたいから」と相手に話して
インタビューの時間をもらうのもよいですし、
あなたが先に答えて、答えられなかった質問を相手に聞いたり、
一緒に答え合わせをするのもよいでしょう。
家族やパートナーとのおうち時間を充実させたり、
今後のことを話し合うためのきっかけとして自由に活用してください。

自分で使う場合

自分をよりよく知るための「自己分析用ノート」として、
質問に答えてみてください。
もしかしたら、今まで気づいていなかった
自分の〝好き〟や〝得意〟など、今後の
進路に関するヒントに気づけるかもしれません。

もくじ — Contents

1

プロフィール

PROFILE

information

問 1

フルネームを教えて。お名前の由来は？

1

プロフィール

PROFILE

名前

由来

問 2

本籍地は？

____

問 3

お誕生日は？　年齢は？

お誕生日 ________ 年 ______ 月 ______ 日

年齢 ____________ 歳

問 4

血液型、星座、干支を教えて。

血液型　　　星座　　　　　干支

______ 型 ____________ 座 ________ 年

問 5

趣味は?

問 6

あなたのあだ名をすべて教えて。
（ニックネーム、ペンネームなど）

問 7

家族と、家族の名前を教えて。

父 ……………

母 ……………

兄 ……………

弟 ……………

姉 ……………

妹 ……………

パートナー ……

子供 …………

digital

問 8

各種SNSのアカウントを教えて。
アカウントがあるものはどれ？

ツイッター ＿＿＿＿＿＿＿＿＿＿＿＿＿＿＿＿

インスタグラム ＿＿＿＿＿＿＿＿＿＿＿＿＿＿＿＿

フェイスブック ＿＿＿＿＿＿＿＿＿＿＿＿＿＿＿＿

ユーチューブ ＿＿＿＿＿＿＿＿＿＿＿＿＿＿＿＿

その他 ＿＿＿＿＿＿＿＿＿＿＿＿＿＿＿＿

問 9

一番好きなSNSは？

問 10

もしものことがあった場合、SNSのログは、
残す？　それとも消す？

MEMO

2

歴史

HISTORY

history&memory

問 11

これまでに通った学校名
（小学校、中学校、高校、大学など）と部活は？

学校名 ＿＿＿＿＿＿＿＿＿＿＿＿＿＿＿＿＿＿

部活 ＿＿＿＿＿＿＿＿＿＿＿＿＿＿＿＿＿＿

問12

学生時代に好きだった先生の名前は？　好きだった理由は？

名前 ____________________

理由 ____________________

問 **13**

通っていた塾や習い事、お稽古事は？

問 14

経験したことのあるアルバイトは？　何か思い出はある？
まだやったことがなかったら、
これからやりたいアルバイトは？　その理由は？

問15

飼ったことがあるペットは？　そのペットの名前は？
飼ったことがなかったら、飼ってみたいペットは？

問 16

思い出に残っている旅行は？　行ったことのある外国は？

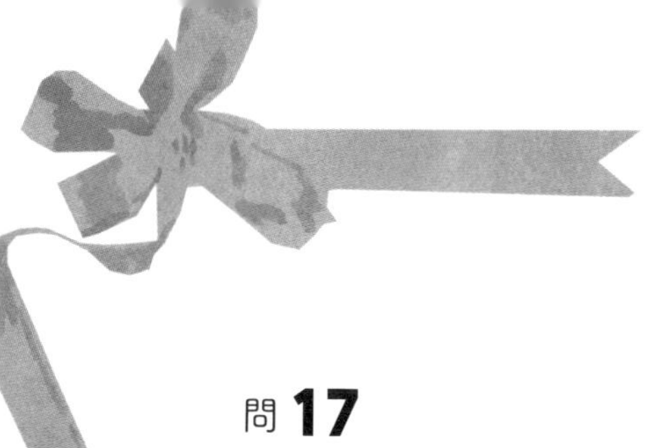

問 17

今までの人生で起こった一番危険なことは?

問 18

子供の頃楽しみだった家族行事は?

問 19

大きな怪我や病気をしたことはある?
あったら、そのときのことを聞かせて。

問 20

住んだことがある場所をすべて教えて。
どこが一番好きだった？

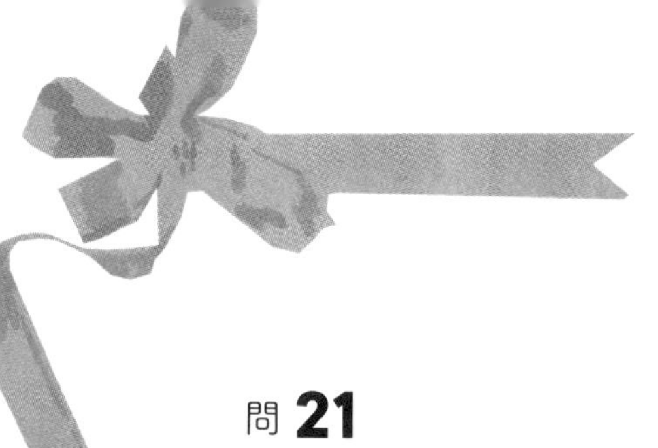

問 21

小さな頃になりたかった職業や将来の夢は何だった？

問 22

これまでに勤めた会社は？

問 23

今の年収と、理想の年収は？

今の年収 ＿＿＿＿＿＿＿＿＿＿ 円

理想の年収 ＿＿＿＿＿＿＿＿＿＿ 円

問 24

印象に残っている仕事は?

skill

問 25

出来る楽器を教えて。

問 26

出来る語学を教えて。

問 27

得意なことを教えて。

問 28

得意な料理は？

問 **29**

特技は?

habits

問 30

口癖は？

問 31

口癖以外のクセは？

問 32

シャワー派？　湯船派？

シャワー派　・　湯船派　（○をつけてください）

personality

問 **33**

自分ってポジティブ？　ネガティブ？　それはどうして？

問 34

長所は？　短所は？
かわいいところは？　人と違うところは？

長所 ____________________

短所 ____________________

かわいいところ ____________________

人と違うところ ____________________

問 35

どんなときに怒る？　どんなときに悲しむ？

怒ること ______________________________

悲しむこと ______________________________

問 36

座右の銘は?

問 **37**

影響を受けた人は？　尊敬する人は？

問 38

あなたが大切にしていることは？　宝物は？

大切にしていること ________________

宝物 ________________

MEMO

3

健康

HEALTH

health

問 39

今何かお薬やサプリメントを飲んでいますか？
それは何ですか？

薬 ＿＿＿＿＿＿＿＿＿＿＿＿＿＿＿＿＿＿

サプリメント ＿＿＿＿＿＿＿＿＿＿＿＿＿＿＿

問 40

これまでに大きな病気や手術をしたことがありますか？
それはいつ？

病気／手術 ____________________

いつ？ ____________________

問 41

持病は？

____

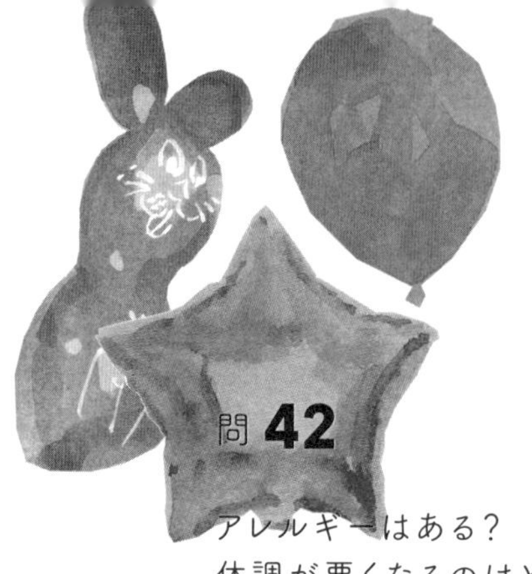

問 42

アレルギーはある？　何のアレルギー？
体調が悪くなるのはどんなとき？

アレルギー ＿＿＿＿＿＿＿＿＿＿＿＿＿＿＿＿＿＿＿＿

体調が悪くなるとき ＿＿＿＿＿＿＿＿＿＿＿＿＿＿＿＿

問 43

今の身長と体重は？

身長 ＿＿＿＿＿＿＿＿ cm　　体重 ＿＿＿＿＿＿＿＿ kg

問 44

平均睡眠時間は？　何時に就寝？　何時に起床？

平均睡眠時間 ________ 時間

就寝 ____ 時 ____ 分　起床 ____ 時 ____ 分

問 45

たばこは吸う？

吸う　・　吸わない　（○をつけてください）

問 46

視力はいい？
メガネ？　コンタクトレンズ？　レーシック？

____

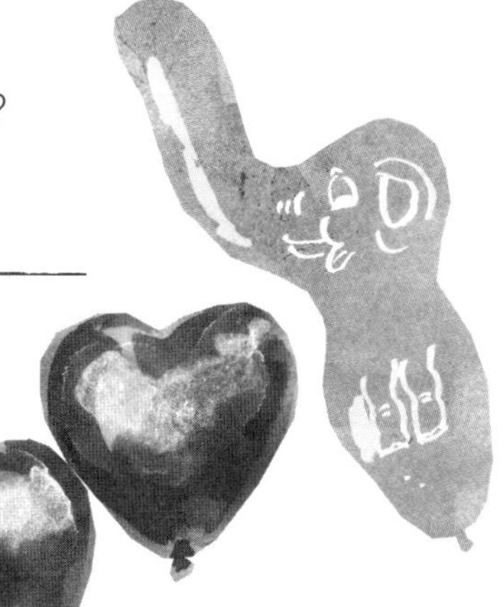

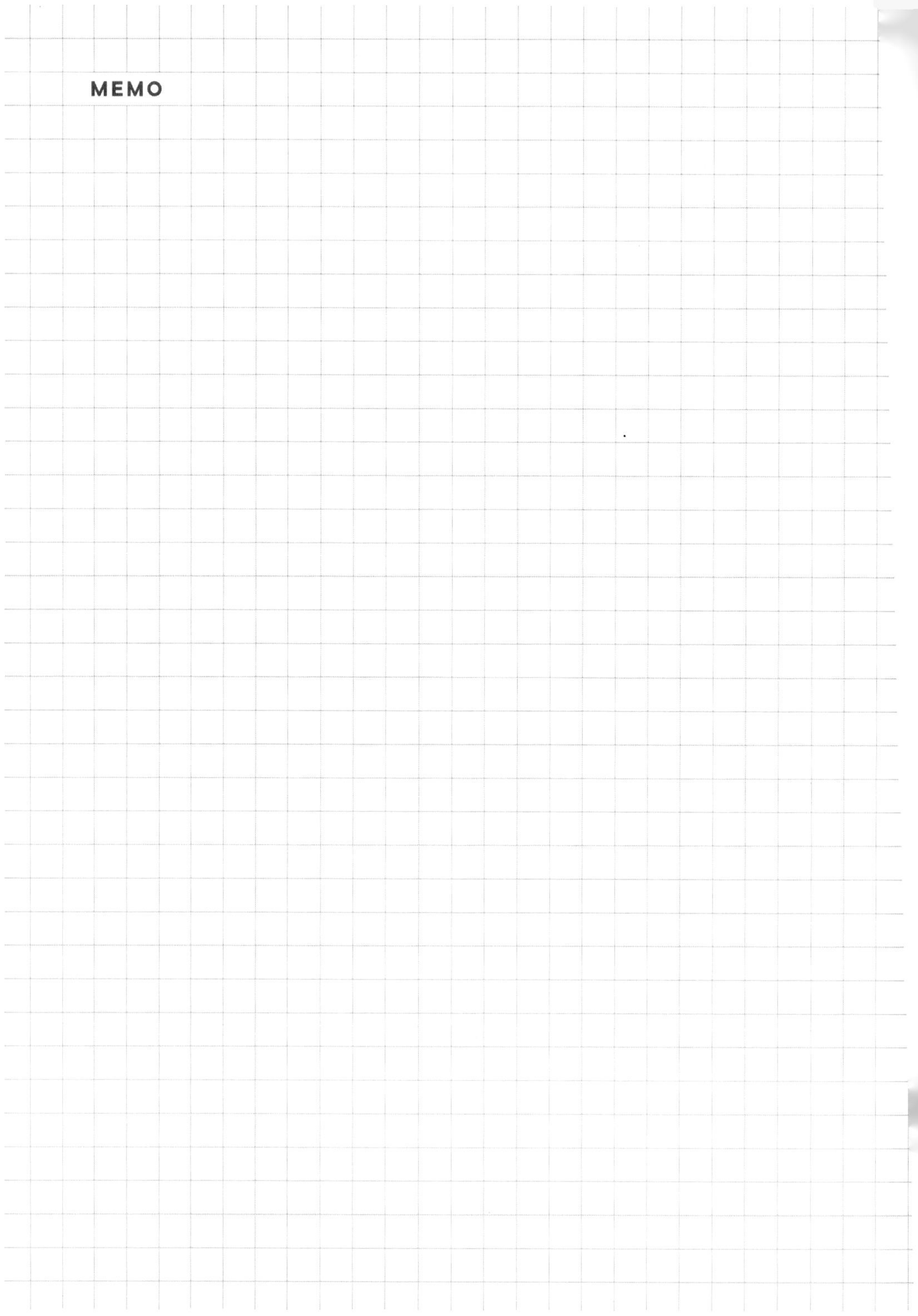
MEMO

4

好きなこと

FAVORITE

favorite

問 47

一番好きな季節は？　その理由も教えて。

季節 ______________________

理由 ______________________

問 48

好きなお花は？　好きな植物は？

花 ______________________

植物 ______________________

問 49

休みはリゾート派？　アクティブ派？　インドア派？
好きな休日の過ごし方は？

リゾート派　・　アクティブ派　・　インドア派

（○をつけてください）

好きな休日の
過ごし方

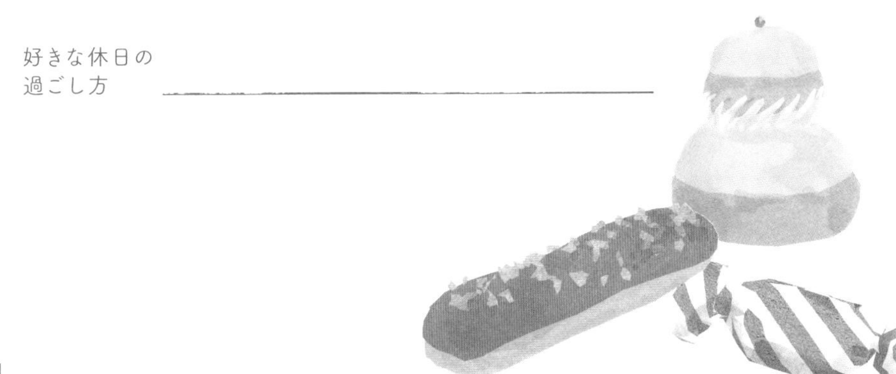

問 50

好きな有名人は？　どんなところに憧れる？

問 51

繰り返し読んだ本は？

問 52

好きな映画は?

問 53

好きな音楽や好きな歌は？　歌詞のどこが好き？

音楽／歌

歌詞のどこが好き？

問 **54**

よく行く場所は？　好きな場所は？

海派　・　山派　（○をつけてください）

場所 ________________

問 55

好きな色は？　お洋服は何色が多い？

問 56

好きなお洋服のブランドは？　一張羅といえばどの服？

問 57

好きな香りは？　香水はつける派？　つけない派？

問 58

スポーツするなら、一番好きなスポーツは?
観戦するなら何が一番好き?

やるなら ______________________

見るなら ______________________

問 59

好きな食べ物は?

和食・ 洋食・イタリアン・フレンチ・エスニック・中華

(○をつけてください)

好きな食べ物 ____________________

問 60

好きな飲み物は?

____

問 61

好きなレストランと、
そこで食べられる特に好きなメニューは？

レストラン ＿＿＿＿＿＿＿＿＿＿＿＿＿＿＿＿

メニュー ＿＿＿＿＿＿＿＿＿＿＿＿＿＿＿＿

問 62

コーヒー派？　紅茶派？　ノンカフェイン派？

問 63

好きなアルコールは？　ノンアルコール派？

MEMO

5

家族・人間関係

FAMILY · RELATIONSHIPS

family

問 64

結婚式はどこで挙げた？　どこで挙げたい？

問 65

親戚やお世話になった方の名前を教えて。

問 66

家族の好きなところを教えて。

問 67

家族の記念日は？

partnership

問 68

パートナーに運命を感じた瞬間は？

問 69

プロポーズの言葉は？
まだの場合、理想の言葉は？

relationships

問 70

好きなタイプ、苦手なタイプはどんな人？

好きなタイプ

苦手なタイプ

問 71

緊急事態のときに連絡をしてほしい人は？

MEMO

6

夢

DREAM

dream

問 72

今一番行きたい場所は?

問 73

住みたい場所は?

問 74

いつか絶対行きたい場所は？　いつか絶対食べてみたいものは？

行きたい場所

食べてみたいもの

問 75

これから１年以内にやりたいことは？

6

夢

DREAM

問 76

10年後に叶えていたいことは？

6

夢

DREAM

MEMO

7

エンディング・エマージェンシー

ENDING · EMERGENCY

問 77

自分が死んだら思い出の品を誰に渡したい？
誰に何をあげたい？

問 78

お葬式はどうしたい？　お墓はどうしたい？

問 79

最期の看取りはどうしてほしい？

問 80

契約サービス
（スマホ、サブスクリプション、インターネットなど）は？

問 81

もしものときは延命治療を希望する？　しない？

する　・　しない　（○をつけてください）

問 82

臓器提供を希望する？　しない？

する　・　しない　（○をつけてください）

問 83

もしも認知症になったらどうしてほしい？

問 84

銀行口座はいくつある？　それぞれの金融機関名は？

問 85

保険は入ってる？　保険会社はどこ？

問 86

株式・投資信託、その他の資産で家族（またはパートナー）に知らせておいたほうがよいことは？

問 87

パソコンやスマホの暗証番号はどこを見ればいい？
データは家族が確認しても平気？

問 88

パスポート、運転免許証、健康保険証などは
どこに保管している？

問 89

財産の管理は誰に託す？

問 90

遺言書は作ってある？

問 91

もしものとき、連絡する人の名前と連絡先を教えて。

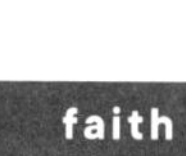

問 92

宗教は？

問 93

支持している政党や政治家は？

money

問 94

お金のことで家族に伝えておきたいことはある？

問 95

一戸建て派？　マンション派？　購入派？　賃貸派？

問 96

あなたが大切な人に一番言いたい言葉は?

90

問 97

犬とネコどっちが好き？　好きな動物は？

犬　・　ネコ　（○をつけてください）

好きな動物 ______

問 98

自分の顔や体のパーツで好きなところは？

______

問 99

このノートをやってみた感想を書きましょう。

特に印象に残った質問、
このノートを通して初めて知ったことなどがあれば教えて。

問 100

自分で質問を作って、答えてみましょう。

問 100

Q1

問100

Q2

DATE

このノートを使った日を記録しておきましょう。

【 このノートを書いた日 】

＿＿＿＿＿ 年 ＿＿＿ 月 ＿＿＿ 日

～

＿＿＿＿＿ 年 ＿＿＿ 月 ＿＿＿ 日

【 このノートを更新した日 】

＿＿＿＿＿ 年 ＿＿＿ 月 ＿＿＿ 日

＿＿＿＿＿ 年 ＿＿＿ 月 ＿＿＿ 日

＿＿＿＿＿ 年 ＿＿＿ 月 ＿＿＿ 日

大切なあなたノート

令和３年　１月10日　初版第１刷発行
令和６年11月20日　　　　第５刷発行

企画・文・プロデュース　はあちゅう

発行者　　辻浩明

発行所　　祥伝社
〒101-8701　東京都千代田区神田神保町3-3
03(3265)2081（販売）
03(3265)1084（編集）
03(3265)3622（製作）

印刷・製本　TOPPANクロレ

装　丁　　荻原佐織（PASSAGE）

イラスト　　よしいちひろ

ISBN978-4-396-61750-9 C0095
Printed in Japan
祥伝社のホームページ　www.shodensha.co.jp